Y0-AQY-889
코믹
MapleStory
메이플스토리
© 2003 NEXON Co.,Ltd. All Rights Reserved.
오프라인 RPG 19
서울문화사

• 1판 1쇄 발행 | 2006년 12월 20일
• 1판 20쇄 발행 | 2012년 11월 20일
• 글 | 동암 송도수
• 그림 | 서정은
• 발행인 | 김시연
• 편집인 | 최원영
• 편집담당 | 이은정, 방유진, 배선임, 이희진, 박수정, 박주현, 오혜환
• 디자인 | design86
• 마케팅담당 | 홍성현
• 제작담당 | 이수행

• 발행처 | 서울문화사
• 등록일 | 1988. 2. 16.
• 등록번호 | 제2-484
• 주소 | 140-737 서울특별시 용산구 한강로2가 2-35
• 전화 | 7910-754(판매) 7999-147(편집)
• 팩스 | 749-4079(판매) 7999-334(편집)
• 출력 | 지에스테크
• 인쇄처 | 서울교육

ISBN 978-89-532-9114-0
978-89-532-9437-0 (세트)

값 8,500원

지난 줄거리

마법펫 뚱스턴을 소환시키고 몽짜와의 마법 대결에서 당당히 이긴 델리키는 바우를 구출해 장난감성으로 돌아오지만, 마스터 크로노스에게 성문을 열어준 라이돌 아저씨의 배신으로 장난감성의 모두는 인질로 잡히게 된다. 극적인 순간 월광검을 가지고 멋지게 나타난 도도에게 모든 시선이 집중되지만, 월광검은 아무 반응도 없는데…!!

코믹 메이플스토리는 인기 온라인 게임
메이플스토리의 캐릭터를 이용하여 만들어진 코믹북입니다.
www.maplestory.com

캐릭터 소개

도도

명랑 쾌활하고 긍정적인 성격으로 불의를 보면 참지 못하는 정의파. 다소 덤벙대지만 위기의 순간에는 엄청난 집중력을 발휘한다.

바우

외모에 엄청난 자부심을 가지고 있으며, 어떠한 상황에서도 항상 당당하다. 어떤 일이든 일단 미모로 해결하려 한다.

델리키

깔끔하고 섬세한 성격의 마법사. 원래 바우를 무척 좋아했으나, '기적의 샘물'을 부족하게 마신 탓에 바우에 대한 기억이 온전치 않다.

슈미

마왕탑에 갇혀 목숨을 잃었으나 '세계수의 딸' 에아의 영혼이 들어가면서 부활하여 도도 일행과 함께 모험을 하고 있다. 세상을 구하라는 임무를 부여받은 후 여전사로 거듭 변신한다.

아루루

자신을 '초울트라슈퍼캡짱의적'이라고 소개하는 자신감이 철철(?) 넘치는 명랑 쾌활한 성격의 소년. 세상에서 '도둑'이란 말을 제일 듣기 싫어한다.

주카

영웅의 용기와 신의 마력을 지닌 와일드 카고 족의 공주로서, 인간으로 변신할 수 있는 특별한 능력을 지니고 있다. 아루루를 좋아하면서도 늘 티격태격한다.

몽짜

엉뚱하고 덜떨어진(?) 악령. 빛을 싫어하는 어둠의 마법 능력을 지녔으며, 점차 그 능력이 강해져 도도 일행을 위협한다.

카호

장난감을 사람처럼 생각해서 장난감을 만들 때 감정까지 불어넣는 루디브리엄 최고의 장난감 기술자.

네미

카호 아저씨의 외동딸. 아빠 앞에서는 세상에서 가장 귀엽고 얌전한 딸이지만, 천방지축 본성을 철저히 숨기고 있는 왈가닥 소녀.

마스터 크로노스

최강의 몬스터 전투 부대를 이끄는 '전쟁의 신'. 세계수에 의해 지하 동굴에 봉인되었으나 봉인에서 풀려난 후 해골 군단을 이끌고 다시 루디브리엄을 공격한다.

라이돌

루디브리엄 최고의 대장장이. 숲에서 홀로 낡은 대장간을 지키고 있다가 루디브리엄이 위험에 처하자, 창고에 있는 무기들을 꺼내어 성을 지키는 데 동참한다.

뚱스턴

델리키가 정령 세계에서 소환한 마스터 폭스급의 매직펫. 마법능력을 높여 주는 애완동물로서 5백 년 이상 수련을 쌓은 최고 레벨의 여우.

차례

Quest
90
날 잊지 말아요~

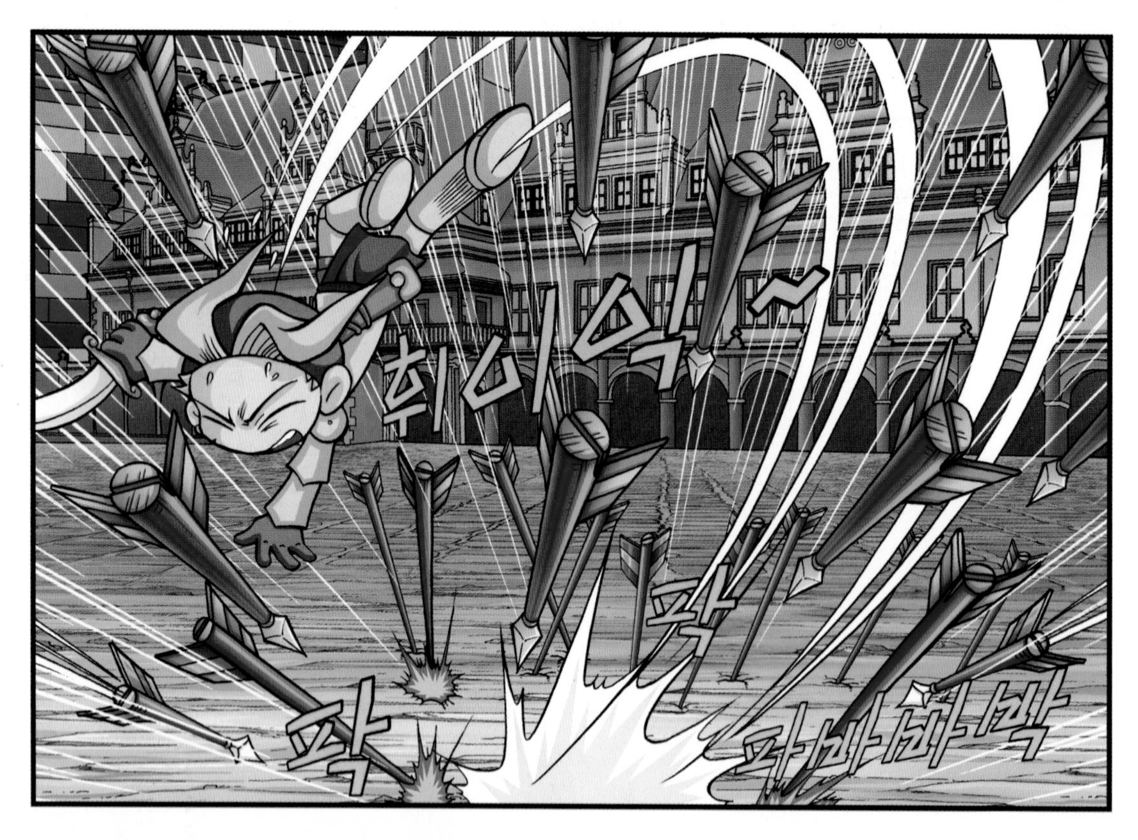
휘이이익~
팍
팍
파바바박

슉
으득..
슉

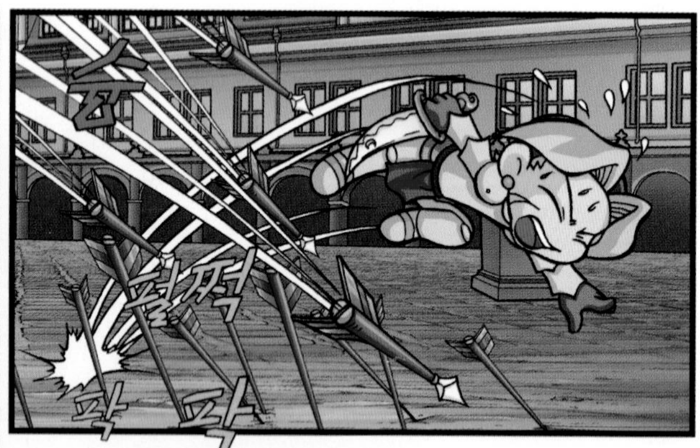
슉
펄쩍
팍
팍

슉
슉
슉

크하하~월광검이
가짜였어!
하하~

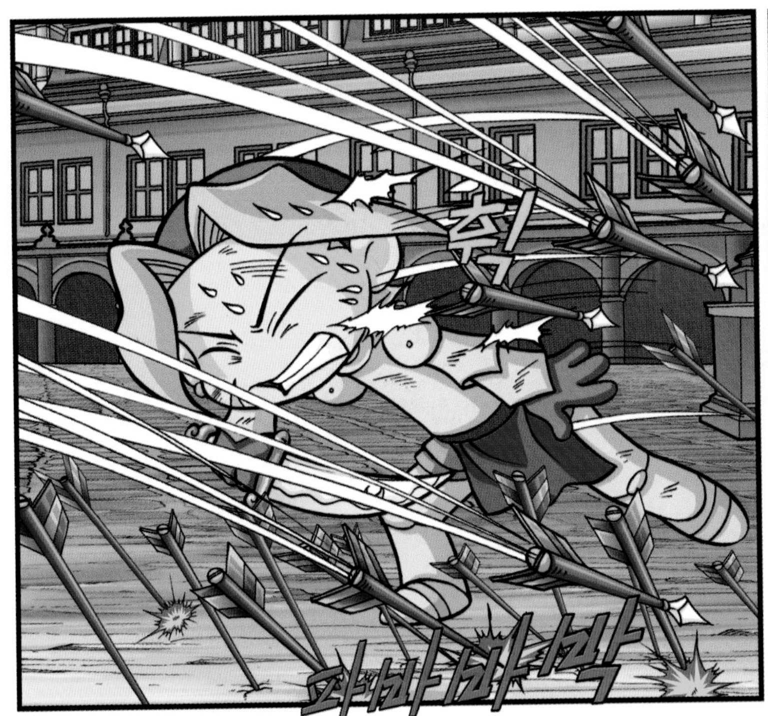
휙!
파바바박

스르륵

촤아악

헉
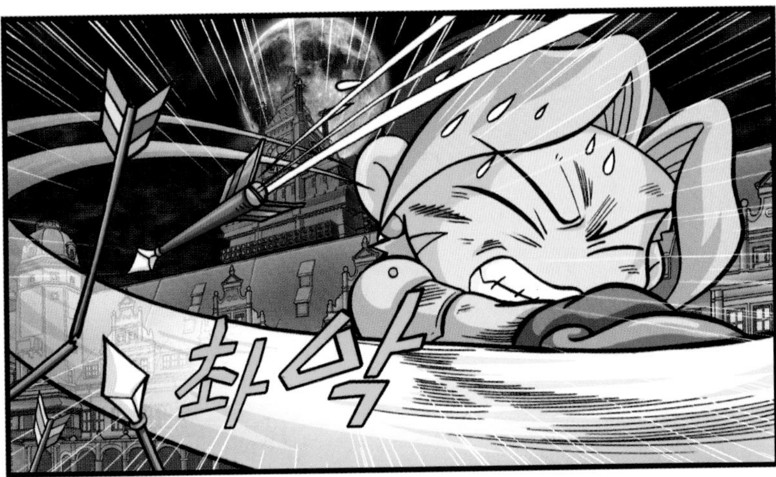
촤악

파사사삭
번쩍

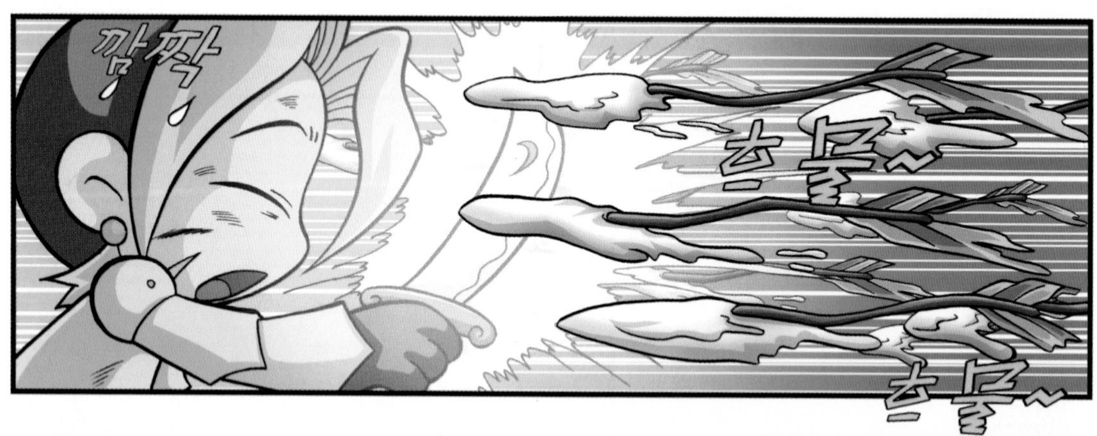
깜짝
흐물~
흐물~

크사사삭
흐물~
흐물~
흐물~

코믹 메이플은요~♥

너무 웃기고, 메이플스토리 게임에 나오는 새로운 몬스터를 알려주고, 친구의 소중함을 알려주는 좋은책. (이성직 | 서울시 고덕동)

기뻐하긴 아직
이를 텐데…?
깜짝
흑!

쿵!
까아악
덥석

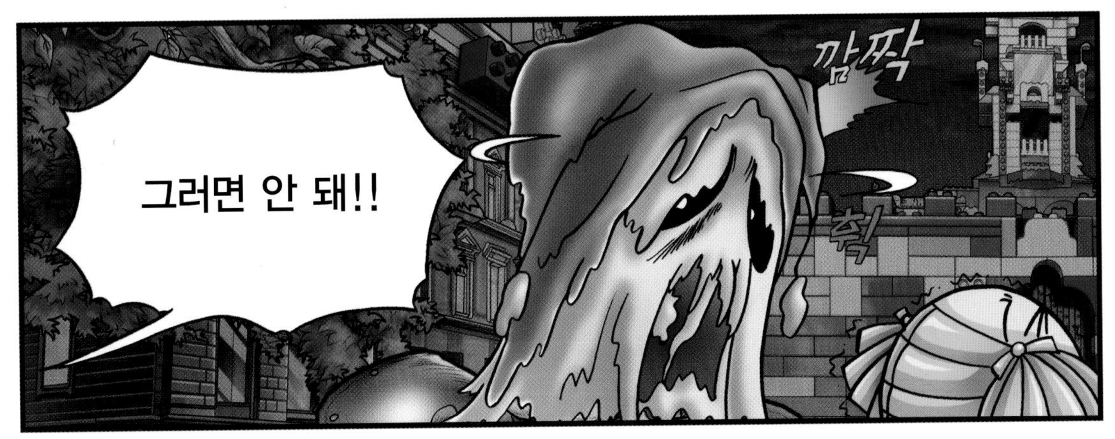

코믹 메이플은요~♥
항상 신나는 모험을 하는 친구들이 참 자랑스럽습니다.
이 책은 저를 아주 인상 깊게 해주고 웃게 해줍니다. (윤여정 | 서울시 잠실동)

쿠궁

바, 바우야, 위험해!
크허억

다치기 전에 어서
물러나시오, 바우 소녀.

*망각(忘却) : 어떤 사실을 잊어버림.

재미있고 다양한 단어랑 명언들을 배울 수 있는 책. (석주호 | 인천시 작전동)

네가 나에게 보여준 친절, 미소,
그리고 네 마음 속의
따스한 사랑…
주르륵

아…

스륵

폴짝

내가 다 기억할게.
절대 잊지 않을게.

바우 소녀가 날…
기억해 주겠다구…?
흐물~
흐물~

코믹 메이플은요~♥

재미있고 좋은 책. 저는 메이플 게임도 하는데요,
루디브리엄 장난감성과 빅토리아아일랜드로 간 배를 가지고 싶어요. (이강민 | 서울시 방화동)

흑~ 흑~
치이익~
흑
슥

흑~ 흑~

코믹 메이플은요~♥

'가장 소중한 책' 입니다. 도도일행의 모험이야기를 통해 도도가 깨닫는 것을 저도 깨닫게 됩니다. (이하영 | 용인시 풍덕천동)

쭈욱

허걱
라이돌 아저씨!

잠깐만!

라이돌 아저씨는 지금 혼자가 아니야!
혼자가 아니라니?

척

코믹 메이플은요~♥

저에게 아주 중요하고 재미있는 책입니다. (이근휘 | 부천시 범박동)

슈슈슈슝~
슝
슝 슝

슝 슝
파파팟~

스사사사~
쿠구궁~

*컨트롤러 : 조종할 수 있는 기계.

코믹 메이플은요~ ♥

아주 아주 소중한 책입니다. (이주현 | 시흥시 정왕동)

어딜~!
딱딱

후두둑
타다닥

퍼억

으아아~
파바바밧
쿠과광

코믹 메이플은요~♥

재미있고 본받을 것이 많은 책이다. (김영호 | 부천시 중동)

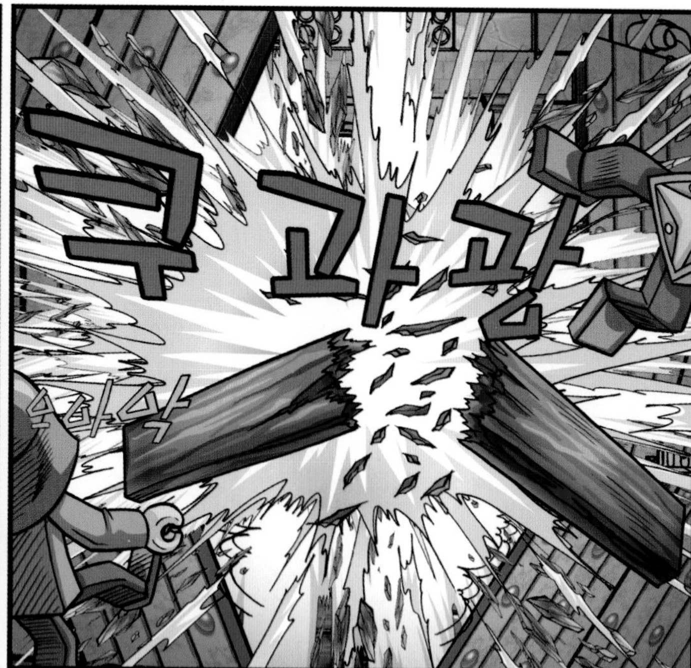

*덧대다 : 대어 놓은 것 위에 겹쳐 대다.

코믹 메이플은요~♥

2004년 4월 25일 1권 발행일로부터 나와는 친구 같은 책입니다. 송도수, 서정은 작가님 너무나 재미있게 만들어 주셔서 정말 감사합니다. (윤재우 | 성남시 야탑동)

두~둥

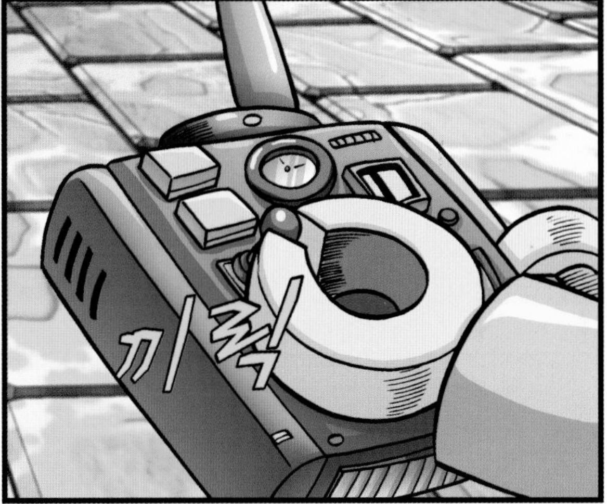

코믹 메이플은요~ ♥

매우 재미있고 교훈도 주는 좋은 책이다. 나에게는 보물1호인 아주 소중한 책이다.
(나건호 | 양주시 덕계동)

세계수의 창!
촤악

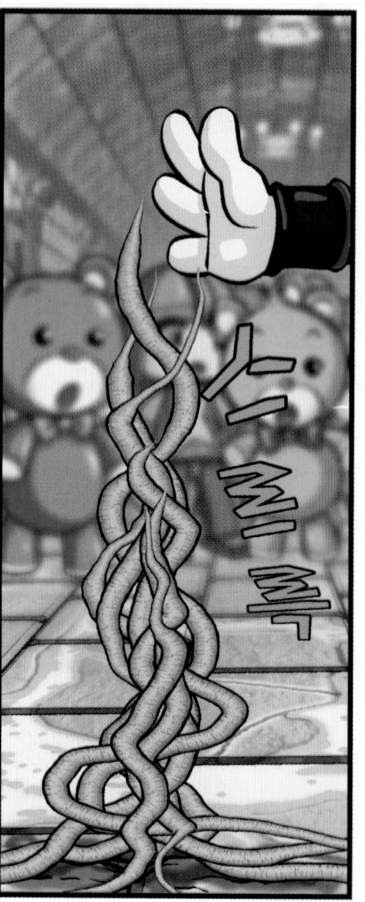
스르륵

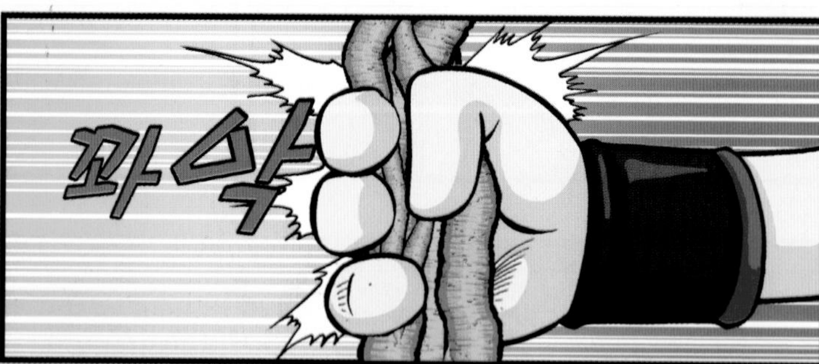
파악

휘이익!

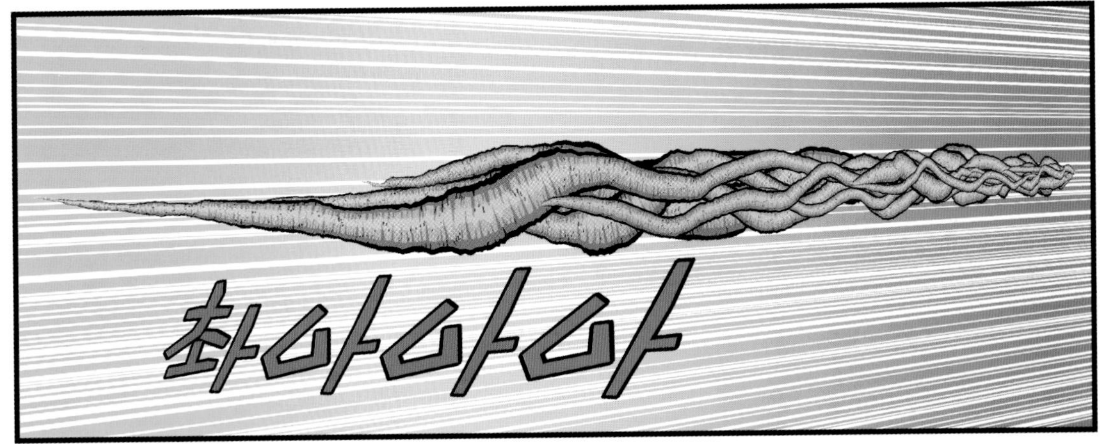

코믹 메이플은요~ ♥

취미로 틈틈이 볼 수 있는 아주 재미있는 책. (김현수 | 서울시 상계동)

스으윽~
흠칫!

몽짜가 떠났어.
근데 라이돌 아저씨가
창에…!!
척

콰직!

촤악

코믹 메이플은요~♥

소중하고 친구 같은 책. (임지영 | 광명시 철산동)

슈미야!
와
와
와

걱정들 많이 했지?

그래,
세계수 님의 분노는
달래어 드렸느냐?
슥

예. 어머니께선 우리에게
기회를 다시 한 번 더
준다고 하셨어요.
두둥
이제부터 오시리아에 가서
수정구슬 안에 보관된
〈세계수의 씨앗〉을
찾아야 해요.

코믹 메이플은요~♥

재미있고 지혜로운 말들이 많은 유익한 책. 캐릭터들과 색이 예뻐서 즐겁습니다.
(김지수 | 하남시 덕풍동)

그 두 가지는 결국 같은 거란다.
세상의 악과 싸워 이겼을 때만이
진정한 평화가 찾아오는 법이니까!
하긴….

성주님….
깜짝

꾸벅
라이돌 아저씨가
이제야 정신을
차렸나 봐.

저의 죄를
용서해 주십시오.
흑~
흑~

빠직!

짝
짝
짝
짝
짝
꼬옥

코믹 메이플은요~♥

심심할 때 나를 재미있게 만들어 주는 책. (차선우 | 서울시 면목동)

무슨 얘기?
우물~
우물~

너, 월광검을
어떻게 찾았냐?

씨익~
아, 그거?

벌벌~

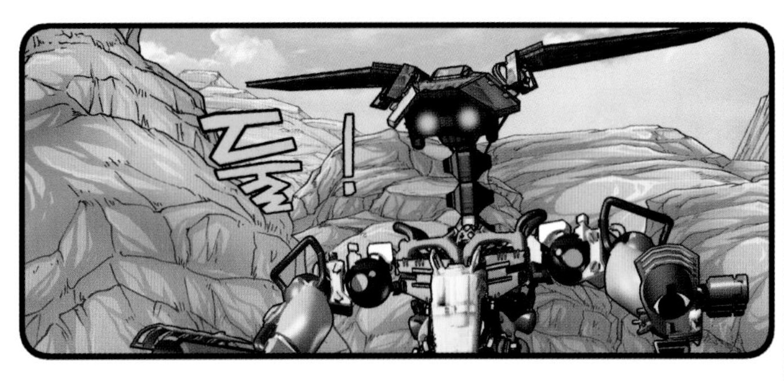

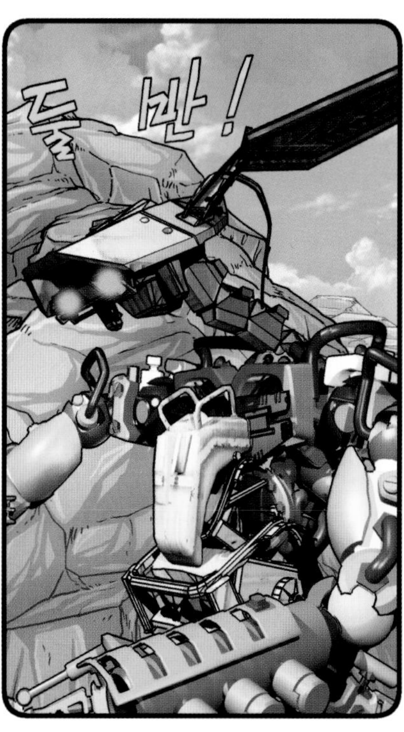

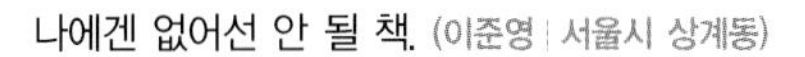

나에겐 없어선 안 될 책. (이준영 | 서울시 상계동)

혼들
혼들
바로 그거야!
번쩍

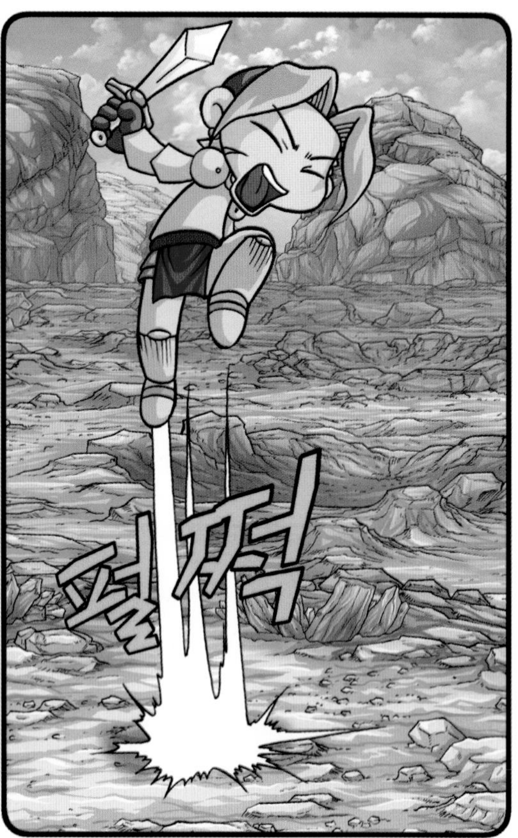
쩔꺽

하이퍼 슬래시
블러스트!
콱
촤아아앙
쿠과광

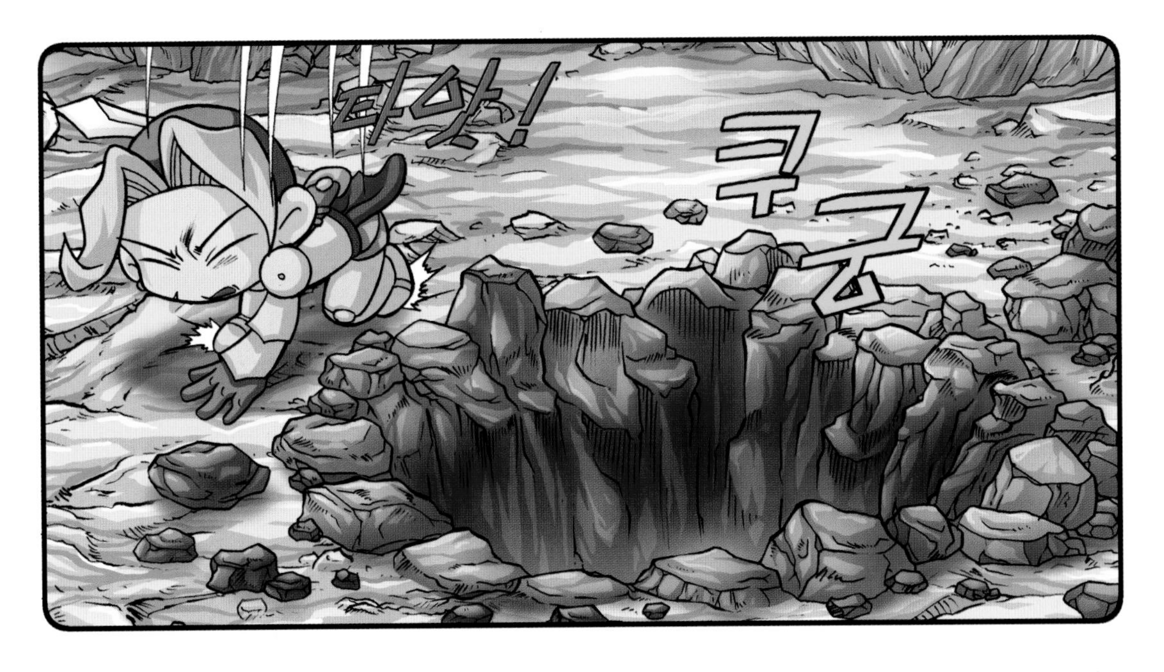

코믹 메이플은요~♥

삶의 휴식처! 친구들과의 이야깃거리를 주는 책! 내가 보고 있는 유일한 판타스틱 만화책!
(이재현 | 고양시 행신동)

촤아아아아아

쏴아아아아아

어때, 시원하지?
후후~
샤워라면 나도 즐겨하는 것이다.

코믹 메이플은요~♥

너무 재미있고 흥미진진한 이야기가 있는 책. 그리고 〈수학도둑〉도 사서 읽어봤는데 정말 재미있다. 메이플스토리 게임도 너무 재미있다. ㅋㅋ (양지혜 | 서울시 천연동)

*집광판 : 태양 에너지를 모을 수 있는 판.

코믹 메이플은요~♥

처음엔 동생이 왕팬이라 샀어요. 만화가가 나의 꿈인데 메이플스토리를 보니깐 너무 어렵겠더라구요.^^; 만화가님 힘내셔요, 아자! (이혜인 | 시흥시 정왕동)

미안해, 도도.
쭈욱
후우…

하지만 넌 이제 더 이상
천하제일검이 아니야.
스윽

하하~
하하~
탁
탁

Quest
91
굿모닝, 오시리아!
오시리아

빙그레~
탁
탁

코믹 메이플은요~♥

재미있어서 오빠와 서로 보겠다고 싸우게 만드는 책. 그만큼 재미있는 책~.
(이지영 | 고양시 마두동)

그렇게 쉽게 대답할 것이 아니다. 임무는 상상할 수 없을 만큼 고통스러운 것일지도 모르니까. 예를 들어… 네가 아끼는 어떤 친구의 목숨과도 관련된….

깜짝
어머니, 그게 무슨 말씀이세요?

나는 내 딸 에아를 〈죽은 자들의 나라〉로 보낸 자에 대해 책임을 물을 것이다!
쿠궁

슈미가 대체 무슨 얘길 하려고 저렇게 괴로워하는 거지?
삐질~
삐질~
크윽..

도도,
너… 생각나니?

에아가 왜
〈죽은 자들의 나라〉로
가야 했는지….

컥!

갑자기 그 얘기는 왜….
푸욱

그건 정말 어쩔 수 없는
실수였어. 그렇지?

에아…
닥닥
에아

그래, 실수였어.
하지만 난 아직도
경솔했던 내 자신을
용서하지 못하겠어.

툭
팍
부들
부들
크윽..

털썩
흑~
흑~

도도…. 그런데
세계수 님께서
네 실수에 대한
책임을 물으시겠대.

책임을 물으신다구?
어떻게?

넌 이제 고향으로
돌아가, 도도.

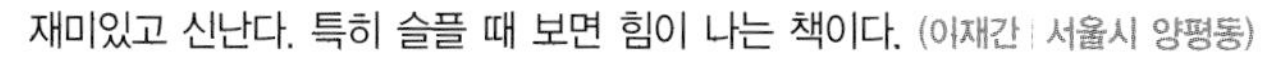
코믹 메이플은요~ ♥

재미있고 신난다. 특히 슬플 때 보면 힘이 나는 책이다. (이재간 | 서울시 양평동)

그럼 우리 결투로 가리자.
그래서 이긴 사람의
뜻을 따르는 거야.

버엉~

푸훗~

왜 웃어?

슈미야, 널 무시하려는 건
아니지만, 넌 결투로
나를 이길 수 없어. 그러다
괜히 다치기라도 하면…

군소리 말고
칼을 뽑아, 도도!
척

삐질~

그렇다면
할 수 없군.
처억

코믹 메이플은요~♥

내가 가지고 있는 책 중에서 보물 1호인 책. (박신환 | 광주광역시 동구 동명동)

파악

휘익

슈미가 다치지 않게
최대한 빨리
끝내야겠어.

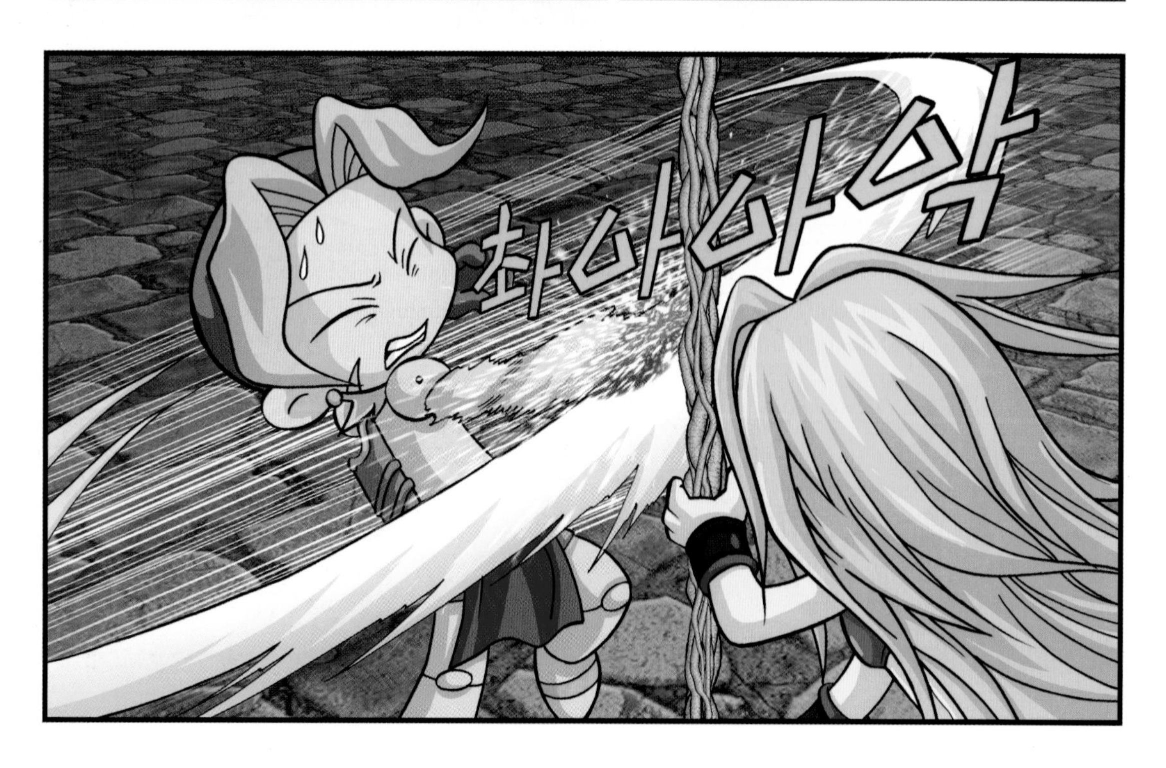

촤아아악

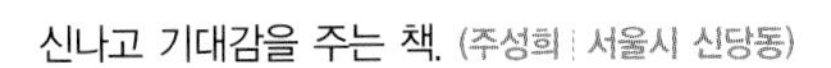

신나고 기대감을 주는 책. (주성희 | 서울시 신당동)

됐어.
네가 이겼어, 도도.
벌떡

으엥?

그러니까
네 맘대로 해.
휙!

삐질~
삐질~

그나저나 뭐였지?
되게 따갑네….
슥

시무룩~

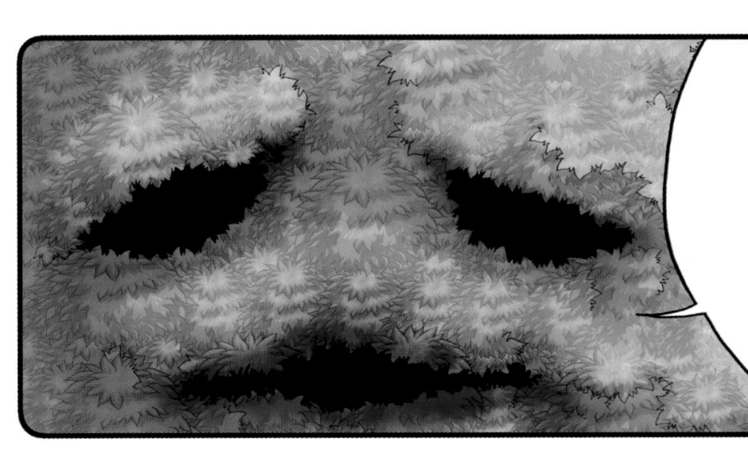

코믹 메이플은요~♥

정말 재미있어요. 책이 나오면 빨리 만나고 싶어요. (박종번 | 서울시 이태원동)

그렇다. 몬스터들이
감히 넘볼 수 없는
강한 힘으로
날 지켜줄 영웅!
쿠구궁

그 책임을 감당할
사람은 오직 도도뿐이야!
깜짝

팔랑~
팔랑~

그건 독을 머금은
나뭇잎이다.
휘이잉~

그 잎의 즙을 짜 내어
가시에 묻힌 다음,
도도의 몸을 찔러라.
독이 들어가는 순간,
도도는 전투에너지를 완전히
잃게 될 것이다. 전투력이
0으로 되어버리는 거지.
헉

코믹 메이플은요~♥

재미있어서 자꾸자꾸 기다려집니다. 그리고 이 책을 보면 기분이 좋아집니다.
(신은주 | 성남시 은행동)

세계수의 씨앗을 찾아
싹을 틔우는 임무를
마치면 너는 이곳
〈죽은 자들의 나라〉로 돌아와
영원한 안식에 들어가야 한다.
그것이 너의 운명이야.

내게 남은 시간이…

얼마나 될까…?

코믹 메이플은요~♥

〈코믹 메이플스토리〉는 환상, 탐험, 미지의 세계입니다. 만세~!
(윤정원 | 충북 청주시)

와아아아~
와

두-둥

코믹 메이플은요~ ♥

나의 보물 1호! 〈코믹 메이플스토리〉는 언제나 재미있다.
(김형기 | 서울시 내발산동)

오시리아는 대체
어떤 곳일까?
카호 성주님이 그러시는데,
오시리아엔 인간과
몬스터가 힘을 합쳐
세운 왕국이 있대.
휘이잉~

인간과 몬스터가
함께?
와아~정말
신기하다!
고오오오

그럼 그 왕국의 국왕은
인간이야, 몬스터야?

정말 평화로운 곳인가
보다. 인간이랑 몬스터가
서로 도우며
사는 걸 보니….

국왕이 두 명이래.
인간국왕 한 명,
몬스터국왕 한 명!

코믹 메이플은요~♥
재미있게 보고 나면 스트레스가 싹 사라져요.
(박건 | 파주시 후곡마을)

언제부터 그랬는데?
파티하던 날 새벽에
뾰족한 뭔가에
찔렸는데, 그때부터….

척

헉!
왜 그래?
깜짝

도도의 전투에너지가
모두 사라져 버렸어!

야, 무슨 농담을
그렇게 썰렁하게
하냐?
전투에너지가
하루 아침에
어떻게 싹 없어져?

코믹 메이플은요~ ♥

아주 아주 소중하고, 오랫동안 간직해서 내 손주들한테도 보여주고 싶은 좋은 책~.
(정은주 | 부천시 심곡동)

쿠~궁
크림슨 발록!!!

코믹 메이플은요~♥

〈코믹 메이플스토리〉는 너무너무 재미있어요. 내 보물 1호인 〈코믹 메이플스토리〉를 100권까지 쭈욱 만들어 주세용~. (채병찬 | 진주시 평거동)

크림슨 발록 님,
모조리 잡아 잡수세요~!
안 그래도
재네들 잡아먹으려고
어제부터 굶었어.
오늘은 꼭 먹고 말 테다!
크와앙~
으아아~
촤아아아악

코믹 메이플은요~♥

지금까지 본 책 중에서 제일 재미있다. 난 이 책이 너무 좋다. (길영은 | 경남 창녕읍)

그런데 슈미가
바로 에아잖아.
훅!

그럼~
텔레포트 스킬?!
와, 이제
살았다!
촤아악

잠깐, 너희들…
텔레포트 스킬에 대해
잘 모르는가 본데….
우리가 왜 몰라? 끝내주는
스킬이라는 거 잘 알아!

텔레포트 스킬은
엄청난 에너지가 필요한
스킬이야. 그래서 적어도
3년 이상은 수련을 해서
에너지를 모아야만
쓸 수 있어….

그래서?

나는 지난번에 썼으니까
앞으로 2년은 더 있어야
쓸 수 있다는 거지….
뜨억!

코믹 메이플은요~♥

재미있고 마지막에 어떤 일이 생길지 너무 궁금해요. (김주한 | 서울시 일원동)

근데…, 텔레포트는
에너지도 많이 들고
무척 힘든 스킬이거든.
그 얘긴 좀 전에 슈미가 다
했잖아. 어서 스킬이나 써!

근데…,
내가 섭섭한 게
너무 많거든.
휙

버럭
너 지금 무슨 소리
하는 거야? 시간 없어!
빨리 스킬이나 쓰라니까!
버럭
버럭

델리키가 나한테 너무
섭섭하게 굴어!
크과악

코믹 메이플은요~♥

나에게 교훈을 주고 마음을 따뜻하게 해 주며, 많은 웃음을 주고 친구들의 우정을 알게 해 주는 책. (김규영 | 서울시 고덕동)

델리키, 제발 시키는 대로
해라. 지금 우리를
구할 수 있는 건 뚱스턴
밖에 없다구!

빠직
그래, 맹세한다!
됐냐?

한 가지 더! 그 동안
비만여우라고 놀렸던 거,
무릎 꿇고 사과해!

못 해!
절대 안 해!
부들
부들
그러셔~?

그럼 할 수
없네 뭐~.
휭!
그오오오

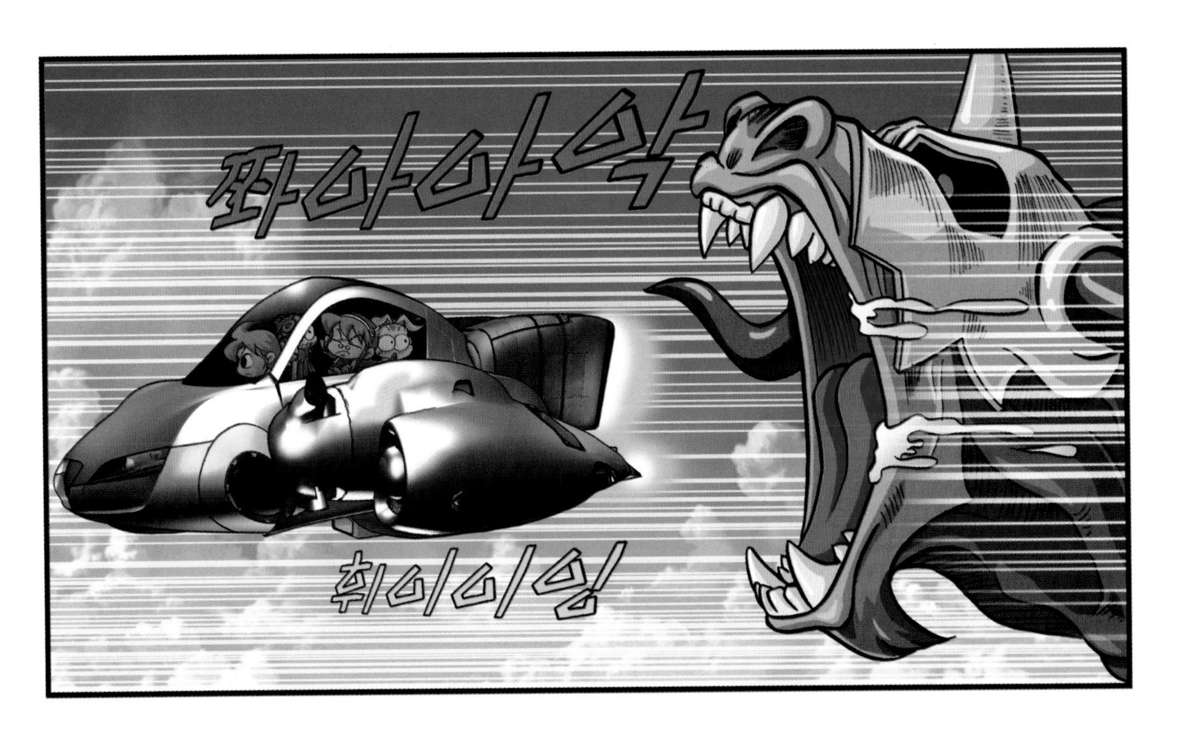

코믹 메이플은요~♥

너무너무너무 소중한 책. (정세완 | 서울시 창전동)

우리 모두를 같은 장소로 함께
이동시키긴 힘들어. 하지만
두 명씩은 되니까 함께 가고
싶은 사람과 손을 잡아봐.
훅!
슥

슬쩍

우리가 어떤 곳에
떨어지는지
알 수 있을까?
그건 나도 몰라.
운명에 맡기는
수밖에….

뚱뚱, 뚱땡뚱,
먹고죽, 때깔곱…
위이이잉!

코믹 메이플은요~ ♥

갈수록 흥미가 더해지는 책이며, 책 이야기를 하다 보면 친구와의 관계가 더 좋아지는 마법 같은 책이다. (서지우 | 포천시 내촌면)

휘이이잉!

으아아아아아

으아아아아아
으아아아아아
으아아아아아

Quest 92

도도, 전투력을 잃다!

코믹 메이플은요~♥

내가 하고 있는 게임을 이용해서 만든 책이고, 맨 마지막엔 그 다음 장면이 너무 궁금하다. 한마디로 엄청 재미있는 책. (이슬찬 | 울산시 동부동)

어우우우~
쿵!

슈미야, 얼른 물러서!
내가 해결할 테니까!

코믹 메이플은요~♥

힘들 때 피로를 풀어주는 재미있는 책. 그리고 〈코믹 메이플스토리〉에 나오는 캐릭터들이 너무 마음에 든다. (차주현 | 부산시 전포동)

휘이익

어엇..!!
비틀

콰당~

으…, 실수를 하다니….
10년에 한 번쯤은
이런 경우가 있지.
벌떡

이번엔 진짜다!

콤보 어택!!
촤아아악

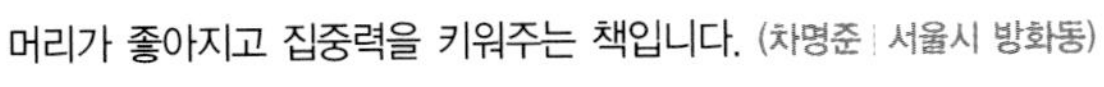

머리가 좋아지고 집중력을 키워주는 책입니다. (차명준 | 서울시 방화동)

콤보 어택 패닉!
콰당~!

하이퍼 슬래시…
쿠당~!

부들~
부들~
헉헉
탁
탁

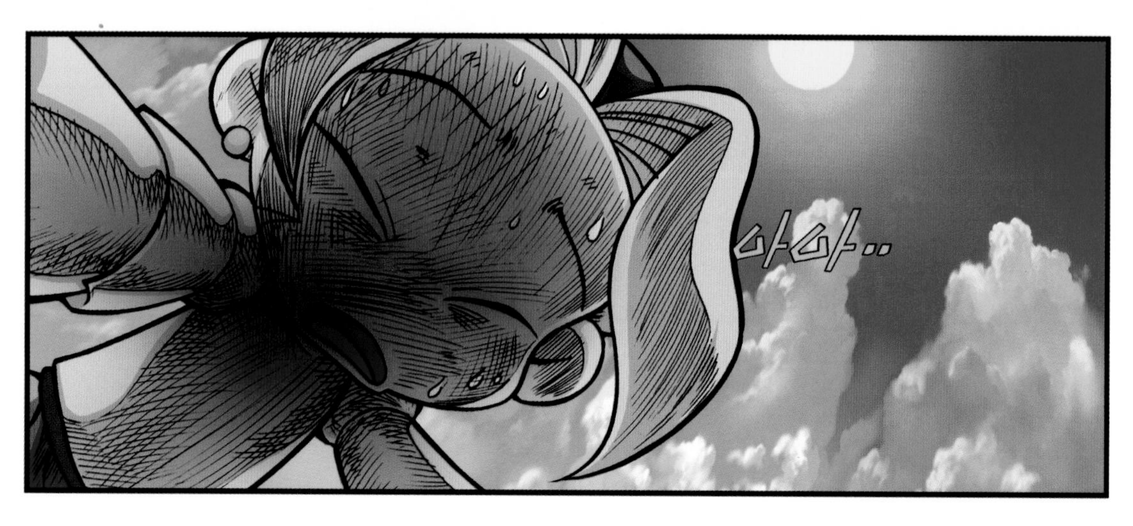
사아..

코믹 메이플은요~♥

재미있고 코믹하고, 멋진 정의감과 함께 슬픈 이야기도 있고 감동이 살아 있습니다.
또 도도 아빠의 이야기도 교훈적입니다. (손희중 | 안산시 고잔동)

머~엉~

왜! 왜!
왜 그랬어!

말했잖아.
어머니께서 네게
책임을
물으신다고….

쿠구궁~

슈, 슈미야, 너도 알지?
검술은 내 모든 것이야.
나한텐 목숨보다 소중하다구!
그런데 전투에너지가 모두
없어지다니…! 사실이 아니지…?
아니라고 제발 말 좀 해봐!
부들~
부들~

코믹 메이플은요~♥

다음 권이 어떻게 될지 궁금해지는 정말 재미있는 책이다. (홍석진 | 서울시 방배동)

벌러덩…~
난 이제 끝났어….
흑흑흑~

도도…, 정말
미안해….

흑~
더 이상
살고 싶지 않아….
흑~
흑~

코믹 메이플은요~♥

생활의 지혜를 많이 알려 주는 유익하고 좋은 책. (최규연 | 의정부시 호원동)

끼룩
끼룩

철썩
철썩

코믹 메이플은요~♥

볼 때마다 내용이 신기하고 나에겐 금처럼 소중하다. (고기몽 | 고양시 백송마을)

스륵~

배고파….
슥

어? 여긴…

바다?
쏴아아아

코믹 메이플은요~♥

〈코믹 메이플스토리〉가 없다면 내 인생은 단팥 빠진 단팥빵. 저는 메이플스토리 게임도 하고 메이플 전권을 다 읽은 메이플스토리 마니아랍니다. (유승헌 | 서울시 신월동)

근데 델리키랑
뚱스턴은
어디 있을까?
두리번

이것들이
혹시…

나만 빼놓고 지들끼리
밥 먹으러…?

후훗~
아냐, 그럴 리 없어.
분명히 어디선가 날
기다리고 있을 거야.
툭

여기서 이럴 게
아니라 찾아봐야겠어.
그러기 위해선
배가 필요한데…?
흐음..

코믹 메이플은요~♥

모험을 생생하게 느낄 수 있는 책. 〈코믹 메이플스토리〉를 읽으면 참 많이 웃게 된다. (김세미 | 서울시 신월동)

첨벙
첨벙
예쁜 배야~
조금만 기다려~!

코믹 메이플은요~♥

다른 어떤 거랑도 절대 못 바꾸는 아주 소중한 책. (송현지 | 의정부시 민락동)

주
중

코믹 메이플은요~♥

소중하고 봐도 봐도 재미있고, 다음에 나올 편이 매일매일 기대되는 책이다.
(고광혁 | 목포시 산정동)

뻐럭
이 곰털 선장님께서 평생 바다를 누비며 별의별 헛소리를 다 들어봤지만, 이건 정도가 너무 심하잖아!

어쨌든 너희 두 녀석은 허락없이 내 배에 탔으니…

이제부터 내 노예다!

근데 너…!
척

너는 개냐, 돼지냐?
빠지직~

둘 다 아닌데요!
째릿

아, 그럼 소?

코믹 메이플은요~♥

지루할 때도 이 책을 읽으면 지루하지 않다. (김정현 | 오산시 오산동)

후유~

바우야!

너희들! 나 빼놓고
밥 다 먹은 거 아니지?
훅
탁

넌 또 뭐야?
안녕하세요?
저는 메이플의
예쁜이, 미소공주
바우라고 해요~♥

코믹 메이플은요~♥

메이플스토리에 대해 알려주는~, 너무나 재미있는 책. (최동진 | 고양시 행신동)

그럼 얘는 뭐냐?
방실 방실

너 헤엄쳐 왔다는 거
거짓말이지?
이곳은 상어가 많기로
유명한 바다란 말야!
흥!

상어요? 걔네들
아주 순하던데요?

간혹 까부는 애들도 있긴
했지만, 꿀밤 한알씩 먹였더니
금세 조용해지더라구요,
호호호호~!

서, 선장님,
저기 좀
보십시오!
깜짝

둥~

코믹 메이플은요~♥

심심할 때 즐거움을 주고 특별부록 덕분에 공부도 할 수 있는, 고맙고도 재미있는 책. (박상아 | 광주시 광천동)

야자~
깡총~
깡총~

아저씨, 나 해적할래요!
나 해적 짱 좋아해요~!!
꽉

이, 이거 놔.
해적을 아무나
하는 건 줄 알아?
낑! 낑!

그럼 무슨 자격이라도
필요한 건가요?
확
발랑

필요하지. 우선
힘이 세야 하고….

허거걱~

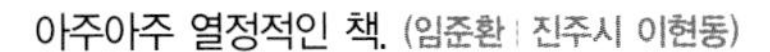
코믹 메이플은요~♥

아주아주 열정적인 책. (임준환 | 진주시 이현동)

후유~,
나 같은 명문가의
여우가 이렇게 거친
일을 하다니….
빡
빡
스윽~

정말 이상해.
여기서는 왜 마법이
안 되는 걸까? 마법을
쓰면 쉽게 탈출할 수
있을 텐데….

나…, 집에선 내 방
청소도 안 하고
살았어. 하인들이
다 해줬다구.
투덜~
투덜~

그나저나 이 지겨운
노예 생활을 언제까지
해야 하냐고!
벌러덩~

배 안에 뭔가 엄청난
마법능력을 지닌
보물이 있는 게 분명해.
그 보물 때문에 우리가
마법을 못 쓰는 거라구.

코믹 메이플은요~♥

만화도 재미있지만 화실이야기도 무척 재미있어요. 작가님 파이팅!
(김주영 | 마산시 경남동)

내 패션 어때~?
쿠궁

음…,
개성이 있긴 한데…,
어째 너한테는 좀….
삐질~
삐질~
왜, 안 어울려?
그럼 포크를
갈고리로 바꿀까?

얘들아, 집합하라는
선장님의 명령이시다!
왜요?

왜긴! 매일 아침마다
치르는 중요한 행사가
있으니까 그렇지.

코믹 메이플은요~♥

나에게 가장 소중하고, 내가 제일 즐겨 보는 책. (이순주 | 진해시 여좌동)

곰털 해적단의 수호신…

용왕의 활께서
나오십니다!
뚜
둥

Quest 93
주키가 사라졌어!

코믹 메이플은요~♥

소중한 책. 우리 아이가 아파서 병원에 4개월 정도 있을 때 이 책을 매일 보며 웃고 또 웃었습니다. 그 덕분인지 퇴원 잘 해서 학교에 들어갔습니다. 감사합니다.
(한규호 부모님 | 청주시 부대동)

쓰~윽

나 원 참….
척!
왜?

번데기
앞에서 주름
잡는다더니….

야, 너!
휙

멈칫

이리 와 봐!
째릿!

왜요?
쭈뼛!

코믹 메이플은요~♥

용기와 자신감을 주는 책. (조거평 | 구리시 인창동)

자다다다~

허거걱
엄청 빠르다…!

너희야말로 내가 누군지 알아? 오르비스 뒷골목의 소매치기왕 뽀샤 님이시다!
끼익~

코믹 메이플은요~ ♥

메이플스토리 게임을 할 때 참고가 많이 되는 책. 그리고 너무 재미있는 책.
(김귀이 | 양산시 주진리)

쿠궁
이제 오나?
깜짝

톡!

으아아~

콰당!

코믹 메이플은요~♥

메이플스토리 게임과 함께 만화도 재미있게 읽고 있습니다. 이 책은 아주 소중합니다. (최민수 | 부산광역시 괴정동)

두둥
휙

화들짝

내가 졌다!
벌떡

코믹 메이플은요~ ♥

내가 가지고 있는 만화책 중 가장 재미있고 소중한 책.
(서창희 | 서울시 창전동)

촤라랑~

허거걱

이제 고양이가
아니니까 괜찮지?
와~!
뾰롱~

주카 언니,
넘~ 예쁘다!
반짝
반짝

근데 언니는 내가
여자란 걸 어떻게 알았어?
딱
딱
딱
딱

얼굴 보고 알았지~!
너처럼 예쁘게 생긴
남자가 어딨니?

빨그레

와아~, 이쁘다는 말에
좋아하는 걸 보니
여자가 맞긴 맞나봐~.

빠직!

움찔!

슈샤샤~
캬오~!
후훗~
타다다다~

이곳은 오르비스
왕국이야.
왕국? 오르비스는
오시리아 왕국에 속한
도시인 줄 알았는데…?

*반란 : 정부나 지도자 따위에 반대하여 큰 싸움을 일으킴.

코믹 메이플은요~♥

소중하고~, 재미있고~, 친구 같은 책이에요. (이혜승 | 군포시 산본동)

대단하네~. 어린 나이에
왕국을 세울 정도의
마법실력이라니….

사람들 말로는, 3년 전
루이넬이 오시리아의
왕궁 창고에서 수정구슬
한 개를 훔쳤는데…

그 뒤부터 마법능력이 신의
경지에 이르렀다는 거야.
깜짝

그럼 수정구슬이
오르비스에
있다는 거야?

응, 오르비스에
한 개, 오시리아
왕궁에 한 개….

뭐?! 수정구슬이
여러 개라구?
쿠구궁

몰랐어?
수정구슬은
모두 3개야.

코믹 메이플은요~ ♥

처음엔 우리 아들 준범이가 너무 좋아해서 1권부터 사기 시작했는데
지금은 아빠, 엄마가 더 좋아하고 기다립니다. (정준범 부모님 | 양산시 중부동)

아가야, 편히
잠들거라. 먼 훗날
누군가 네 잠을
깨울 때까지….
흐음..
뽀롱~
그리고 만약을 대비해서
생명의 빛과 숨결을 불어넣은
수정구슬 두 개를 더 만들어
훗날 씨앗을 돕게 하셨대.
뽀롱~

그러니까 수정구슬은
모두 세 개야. 씨앗의 구슬,
빛의 구슬, 숨결의 구슬….
원래는 세 개 다
오시리아 왕궁에 보관돼 있었는데,
한 개는 언제 없어졌는지도
모르게 슬그머니 사라졌고, 또
한 개는 루이넬이 훔쳤으니까…

코믹 메이플은요~♥

재미있고 흥미진진해서 내가 제일 좋아하는 책. (이재원 | 부산시 당리동)

이제부턴
언니 오빠 둘이서 가. 내가
일러준 대로만 가면 오시리아
왕국에 도착할 수 있을 거야.
그래,
고마워 뽀샤.

친구들을 만나면 꼭 함께
오르비스에 놀러와!
안녕~

코믹 메이플은요~♥

지혜와 성실함과 자신감을 주는 책. (이찬호 | 화성시 덕절리)

WC

잘됐다. 아까부터
화장실 가고
싶었는데….

아루루, 잠시만~.
응….

코믹 메이플은요~♥

읽기 연습도 되고 만화도 볼 수 있어서 좋다. (정기랑 | 경북 문촌리)

휙

이상하다…?
왜 이렇게 안 나오지?
WC
조~용

들어가 볼까?

내, 내가 지금
무슨 생각을!
허걱

아냐. 아냐.
난 아무 생각도
안 했어!
화끈~

이상하다~ 아무리
변비가 심해도 그렇지….
수북~
수북~
안절~
부절~

아, 휴지가 없는
모양이구나!
번쩍

코믹 메이플은요~♥

〈코믹 메이플스토리〉는 저에게 있어 가장 중요한 책입니다. 저는 앞으로 서정은 선생님 같은 훌륭한 만화가가 될 거예요. (박범진 | 수원시 권선동)

두
둥
허걱
툭!

주, 주카…!
부들
부들

주카!!
후다닥

코믹 메이플은요~♥

재미있고 지혜를 가르쳐주는 책입니다. (류한솔 | 인천광역시 용현동)

휘이이잉~

터벅
터벅
터벅

코믹 메이플은요~♥

책 중에서 보물 1호인 소중한 책. (조예리 | 서울시 화양동)

도도, 나를 보기 싫어하는
네 마음 잘 알아. 하지만 넌 지금
전투력이 0이야. 사나운
짐승이라도 만나면 어떡해?
내가 널 보호해야 해.

사박~
사박~
깜짝

허걱
갑자기 웬 눈이?
아까만 해도
찌는 듯이 덥더니만….

오시리아의 기후는
여름과 겨울이
뒤섞여서 뒤죽박죽이래.
하루에도 몇번씩….

누가 물어봤냐?
물어봤냐구~!
씩
씩
찔끔

코믹 메이플은요~♥

재미있고 캐릭터들도 신기하고 만화책 중에서 100% 재미있는 책이다.
좀 더 빨리 나오면 좋겠다. (김민정 | 제주시 외도동)

슥
펄~
펄~

동굴은 대체
어디 있는 거야!
추워 죽겠네!
부들~
부들~

저기 보이는데….
깜짝

코믹 메이플은요~♥

〈코믹 메이플스토리〉에는 재미와 긴장감이 살아있습니다. (강다훈 | 순천시 인제동)

덜
덜
덜
덜
덜
덜

벌떡

도도, 어쩌려고?
터벅
터벅

얼어죽으나 물려죽으나
그게 그거지 뭐!
닥
닥
닥
도도!

스르릉
스르릉

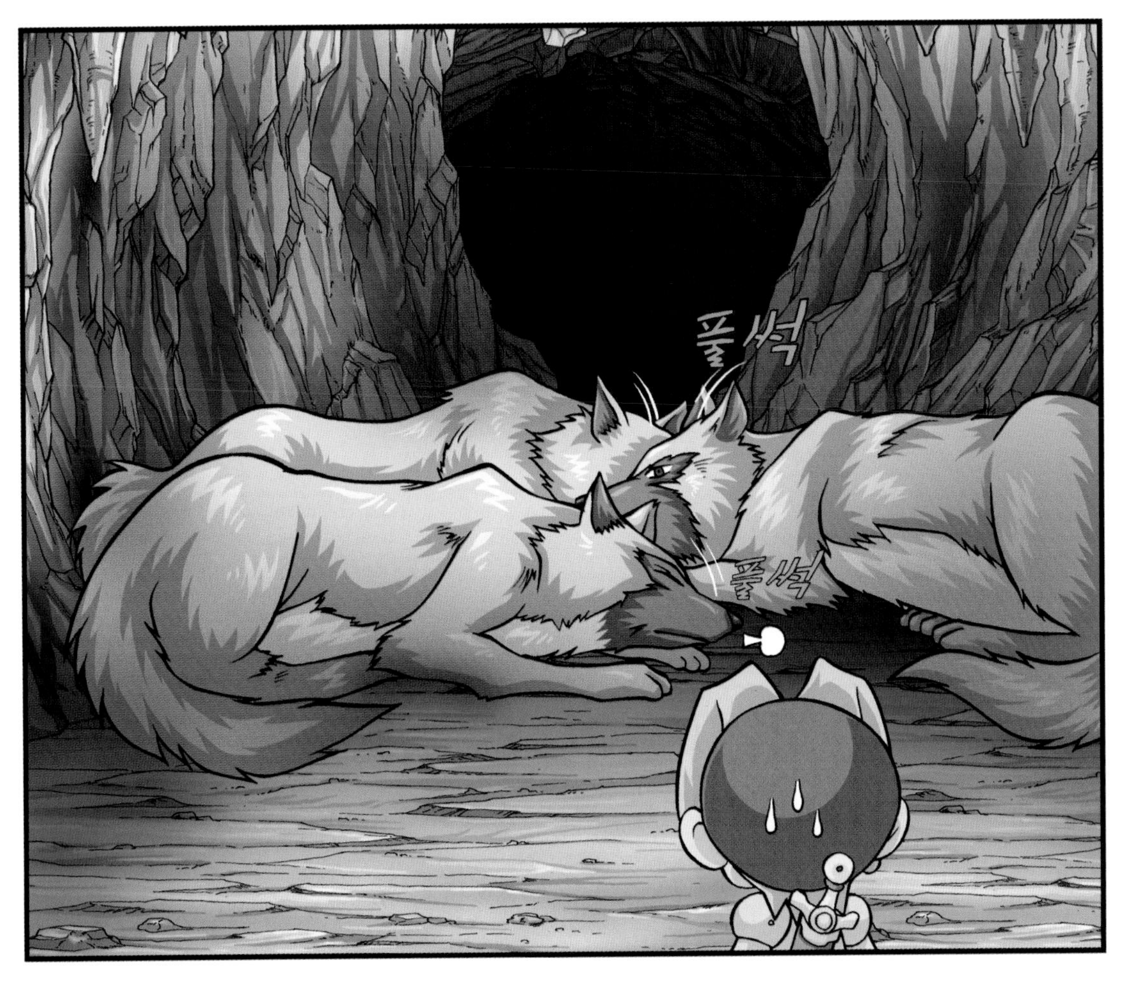

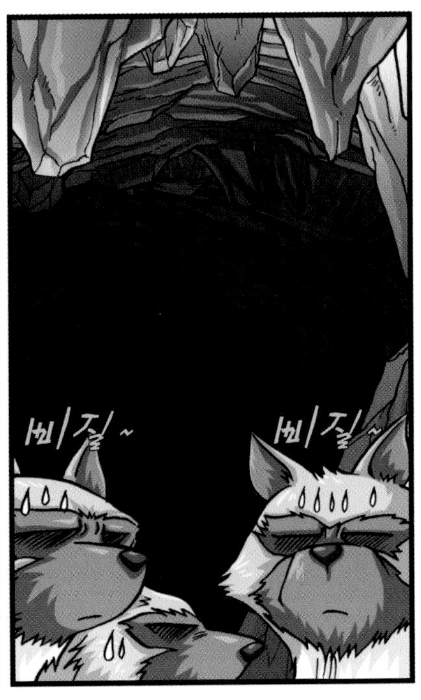

코믹 메이플은요~♥

아이들이 너무너무 좋아하고 재미있게 읽는 책입니다. (강지훈 부모님 | 충남 화천리)

일어나라니까
뭐 하는 거야? 저리 비켜 봐!
나도 좀 누워야겠어.
풀썩
삐질~

도도 널
누가 말리니~.

드르렁
드르렁
삐질~
삐질~
삐질~

그런데 저 늑대들…
사람을 공격하지
않는 걸 보니 야생늑대가
아닌 게 분명해.

누군가에 의해
길러지는 걸까?

코믹 메이플은요~♥

내용도 재미있고 몰랐던 용어도 많이 알게 되어 좋다. (권지훈 | 서울시 하계동)

얘가 또 간섭이네!
너한테 안 물어
봤거든!

크르릉

얘네들이
갑자기 왜 이러지?
내가 큰소리를 내서
화났나?

크르릉
팍
팍
팍

Quest 94 해적선장 바우

크르릉
파
파
파
파팍

파
파팍
파팍

코믹 메이플은요~♥

나에게 가장 재미있고 중요한 책이다. (노상현 | 광주광역시 두암동)

어디서 많이 본
얼굴인데…?

맞다, 실바 송!

분부만
내리십쇼!

없애!

콰지지직

코믹 메이플은요~♥

1. 가장 재미있는 책 2. 나를 웃게 만드는 책. 3. 궁금해서 못 참게 만드는 책.
4. 봐도 봐도 질리지 않는 책. 5. 두고 두고 보고 싶은 책. (김우성 | 인천광역시 가정동)

두둥

수고했다, 콰지몬. 상으로
오늘 저녁엔 고기반찬을
푸짐하게 주마.

필요없습니다.
제 마법조끼나
돌려주십시오.
깜짝
훅

뭐야?
버럭

그 동안 주인님의 노예로서
전 많은 공을 세웠습니다.
이제 빼앗아간 제 마법조끼를
돌려주시…

이 건방진 놈!!
퍼억

코믹 메이플은요~♥

소중하고 감동적인 책. 재미있고 기억에 남는 책. (이국한 | 대전광역시 중촌동)

정말 나쁜
인간이네!

까불지 말고 이 근처에
늑대가 더 없는지
샅샅이 살펴봐!
깜짝
깜짝

예, 주인님.
꾸벅

콰지몬도 백작님 앞에선
꼼짝 못 하는군요.
물론이지~ 내가 마법조끼를
갖고 있으니까! 그게 없으면
녀석은 지옥으로
돌아갈 수 없걸랑.

자, 이제 국왕 두 명 중에
라이칸 7세는 없애버렸으니,
남은 건 인간국왕 오스 11세뿐이야!
그 늙은이만 해치우면
오시리아 왕국은 이제
내 것이 된다구, 크하하~!

재미있고 신나는 책이며, 다음권이 기다려집니다. (윤주혁 | 대구광역시 상동)

*샛길 : 큰 길 사이로 난 작은 길.

〈코믹 메이플스토리〉는 게임처럼 실감나고, 어둠 같은 심심함 속에 밝은 빛처럼 재미있는 책. (이주형 | 포항시 군덕리)

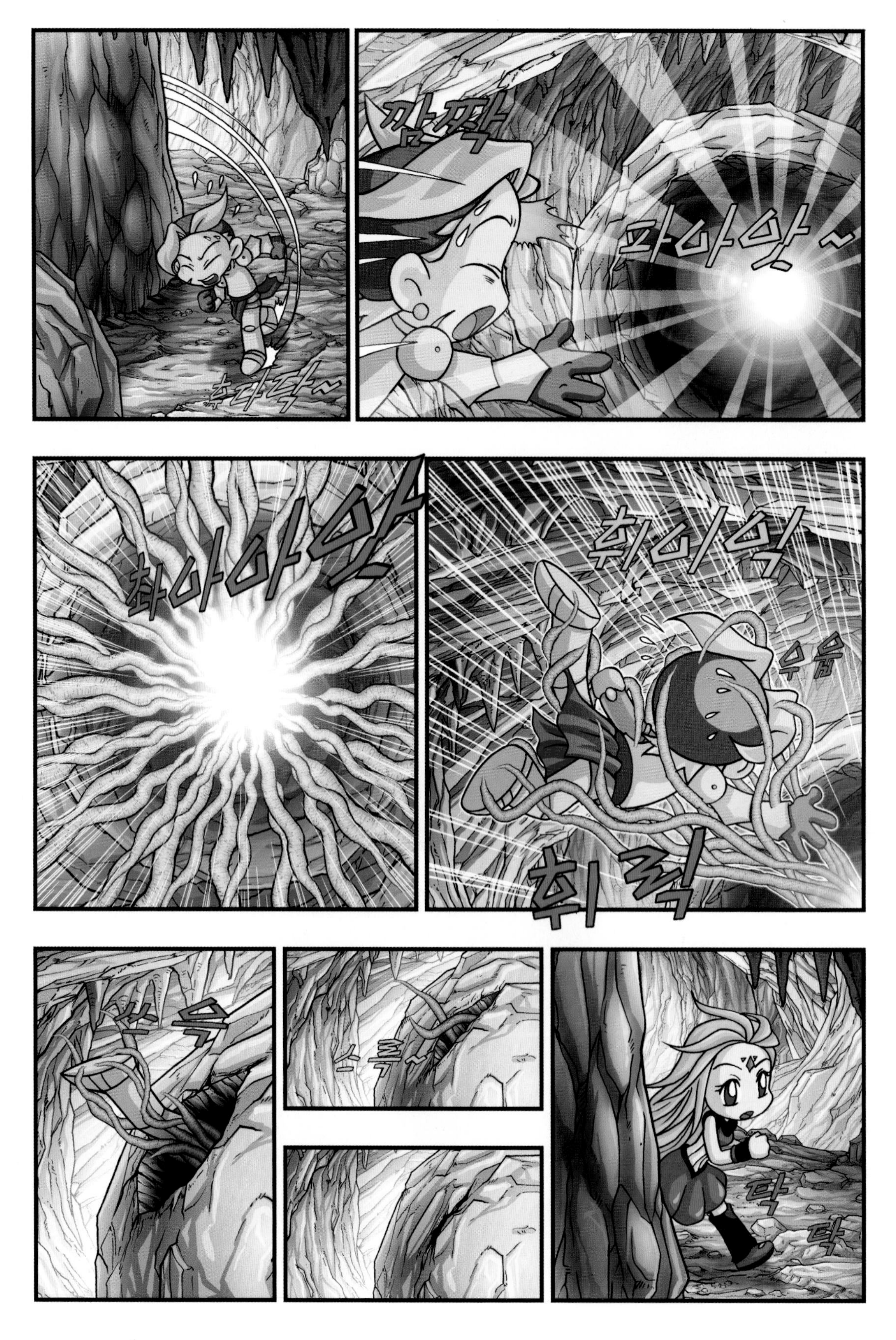
후다닥~
깜짝
파사삭~
파사사삭
휘이익
우읍
휘릭
쑤욱
스륵~
탁
탁

코믹 메이플은요~♥

게임 메이플스토리의 유저로서 매우 즐겨보는 책이다. 특히나 작가님들의 뛰어난 실력 때문에 더욱 재미있는 것 같다. (양종혁 | 화성시 반월동)

털퍼덕~!

꾸욱~

으, 아파…!
꼭 거대한 바위가
온몸을 짓누르고
있는 것 같아!
꾸우우욱

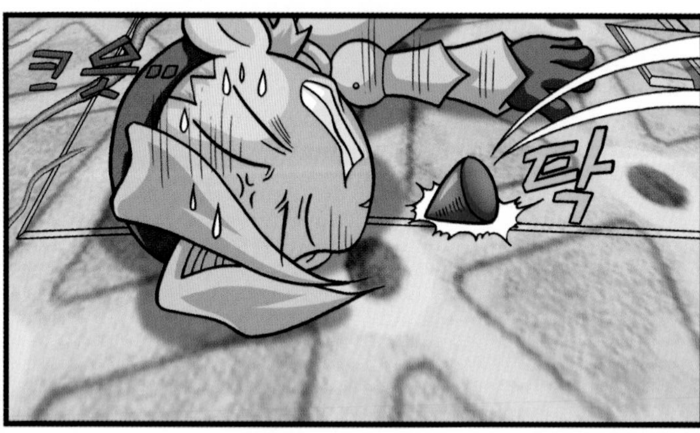
크윽…
탁

뿔버섯의 뿔이다.
쥐포처럼 납작
해지기 싫으면
어서 먹어.

낼름

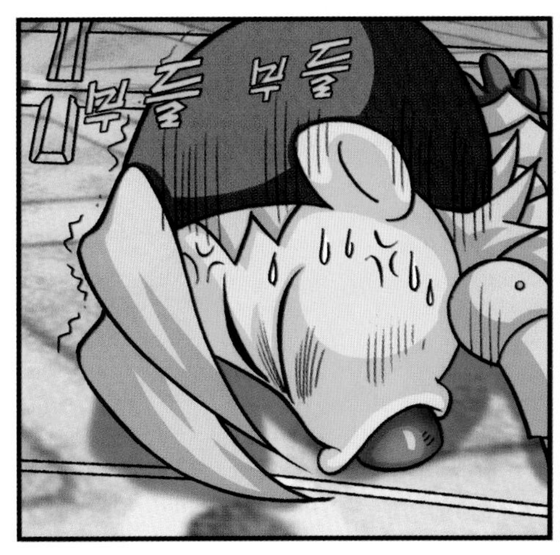

코믹 메이플은요~♥

〈코믹 메이플스토리〉는 내가 아끼는 책 1호다. 그래서 예전에 언니가 내 책을 구긴 것을 보고 울고 말았다. 그만큼 내겐 아주 소중한 책이다. (이수연 | 수원시 매탄동)

오시리아의 몬스터 국왕
라이칸 7세
두
둥

코믹 메이플은요~♥

너무너무 재미있고 흥미있습니다. 저에겐 소중한 만화책입니다. (이재희 | 평택시 비전동)

우와아~

다음 순서는…
선장님께서 용왕의 활을
당기시겠습니다.
척
형제들이여,
용왕님께서 내 꿈에 나타나
이렇게 말씀하셨도다!

이 활을 당길 수 있는 자는
우주에 오직 한 분,
용왕님뿐이시라고!

오~
용왕님~!

자, 이제 내가
용왕님을 대신하여
활을 조금
당겨 보겠노라.
스윽

코믹 메이플은요~♥

항상 재미와 상상력을 북돋아 주는 책입니다. 또, 제가 그림을 좋아하는데 그림을 따라 그릴 때마다 실력이 한층 더 늘고 있습니다. 하여튼 짱이에요! (김준성 | 대전광역시 전민동)

모두 주목!
용왕의 활을
향하여 경례~!

활 좋네~!

쿠궁
쫘아악

코믹 메이플은요~♥

친구들과 깊은 우정을 쌓을 수 있게 해주는 재미있고 유익한 책이다.
(김민선 | 서울시 수유동)

용왕님!~
넙죽~
넙죽~
허걱

나?
멍~

방금 용왕의 활을 당기지 않으셨사옵니까?
슥

그야~ 내가 힘이 세니까… 아니, 난 가냘픈 소녀인데….

오~ 아니옵니다. 그건 힘만으로 되는 일이 아니옵니다! 그 활을 당길 수 있는 분은 오직 용왕님 뿐이시옵니다.
내가 뭐랬냐? 바우는 뭐든지 하면 다 된다고 했지!
정말 그렇네!

코믹 메이플은요~♥

나에게 가장 소중한 존재. 메이플 시리즈는 영원히!! (배정호 | 진주시 칠암동)

둥
두둥
미녀용왕
바우스타샤 선장님의
취임식을 거행하겠습니다!
둥

그럼 취임식 전
선장님의 개인기 순서가
있겠습니다.

흠…
과녁이 필요한데!

과녁 준비!
와~
활묘기를 보여
주시려나 봐!

티잉~

타악

깜짝
이건!

코~
꼬륵~

딱~지!
풍덩~

명중! 다음!!
후비적
삐질~

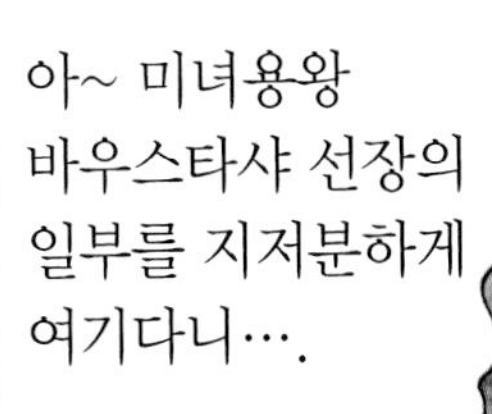

코믹 메이플은요~♥

소중하고 재미있는 책 중 하나다. 그래서 메이플스토리 게임도 좋아한다. (김은상 | 충남 오관리)

쿠구궁
쏴아아아

쏴아아아

코믹 메이플은요~♥

내가 본 책 중에서 제일 재미있고, 아무리 보아도 싫증나지 않는 제일 소중한 책.
(하태연 | 의왕시 내손동)

델리키,
그건 뭐야?
유독가스에
대비한
필수품!

저것들이 지금
뭐 하는 거야?
거참~
이상하네….
보아하니
다들 제정신이
아닌 것 같습니다.

좋아! 이번에야말로
〈용왕의 활〉을 빼앗을
좋은 기회다!
크크~
척

돌격!!

코믹 메이플은요~♥

처음엔 친구한테 빌려서 봤는데 너무 재미있어서 사 보았어요. (이해주 | 서울시 장위동)

*데코레이션(decoration) : 장식, 꾸밈새.

코믹 메이플은요~♥

완소(완전 소중)하고, 사랑하고 정말 재미있는 책이다. (최진호 | 포천시 내촌면)

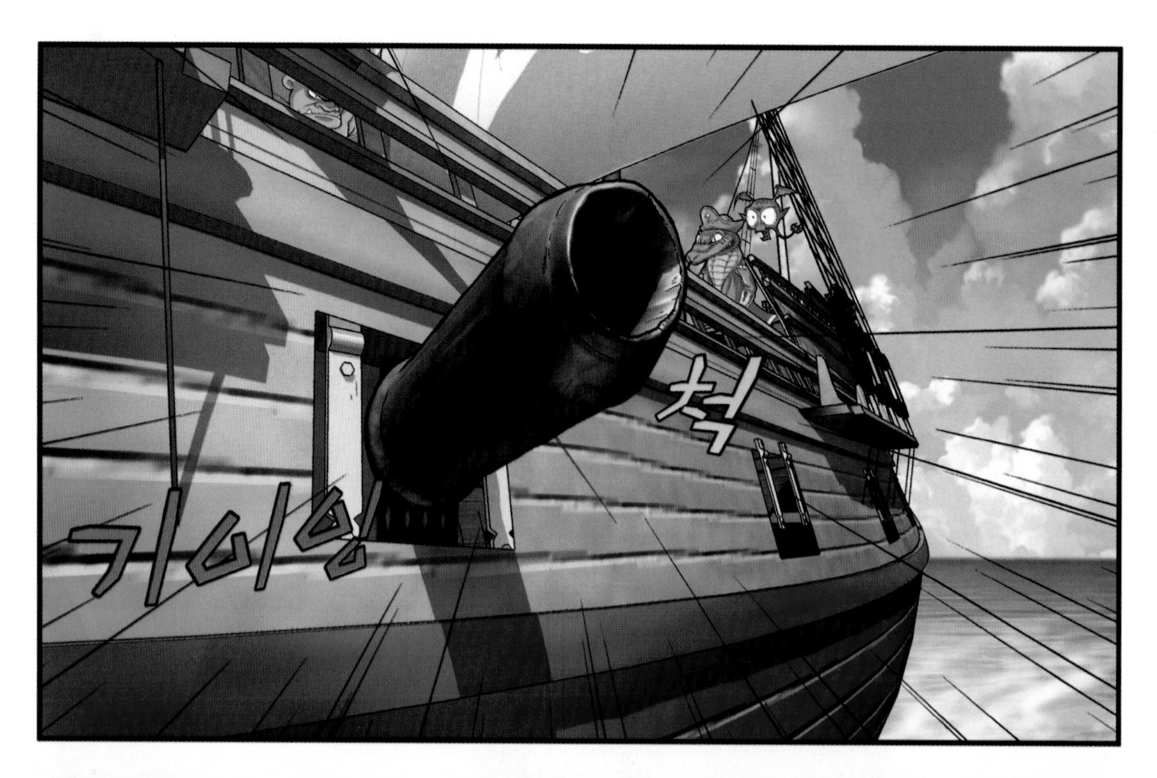
척
기이잉

발사-!

퍼어엉~

코믹 메이플은요~♥

재미있고, 어려운 글자들도 설명해 줘서 매우 유익하다.
머리 식히는 데에도 무척 좋다고 생각한다. (전태욱 | 양주시 덕계동)

으아아아~
탁
탁
탁
탁

선장님, 제발
후퇴 명령을…!
안 돼요!
넙죽

선장님,
이거밖에….
음, 이거면
충분해요!
쓱

어서 폭탄 좀
가져와 보라니까!
휙!

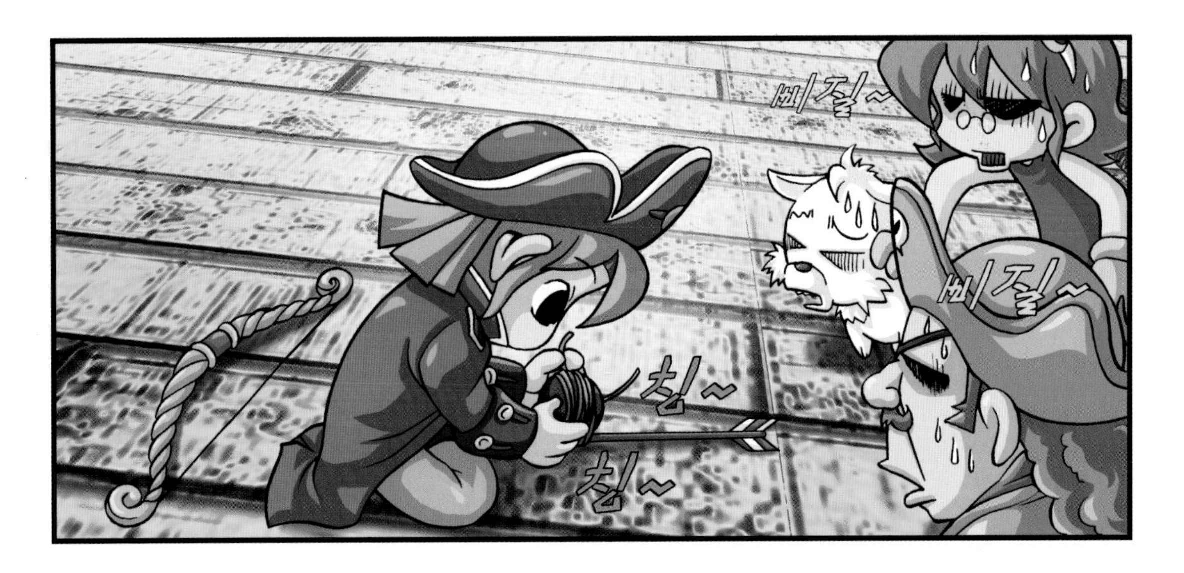

코믹 메이플은요~♥

그림이 너무 예쁘고, 자기 전 꼭 한 번씩 다시 읽고 자고 싶고, 늘 책상 옆에 가까이 두고 공부에 지치거나 화가 날 때 나의 마음을 포근히 웃음으로 감싸주는 책입니다. (이학진 | 광주광역시 월곡동)

바우야, 대체 어쩌려고 그래! **코믹 메이플스토리 ⑳권**을 기대해 주세요!

코믹 메이플스토리 왁자지껄 만화가 서정은의 화실이야기

〈코믹 메이플스토리〉가 만들어지는 과정

송도수 선생님의 글 원고를 보고 연필로 그림을 그립니다.

2. 펜 뜨기

연필로 그려진 원고에 다시 잉크로 따라서 그립니다.

잉크가 마르면 지우개로 깨끗하게 지웁니다.

컴퓨터로 볼 수 있도록 스캐너라는 장비로 그림을 복사하듯 읽어서 파일로 변환합니다.

스캔 받은 펜선원고를 잉크선만 보이게 한 후, 인물에 기본색을 칠합니다.

인물에 명암을 넣고 장면 효과 등을 칠하며 배경색을 칠합니다.

3D프로그램(3dmax, bryce, True Space)과 포토샵, 페인터라는 프로그램을 사용해 여러 사물과 배경을 만듭니다. 그리고 최종적으로 원고를 완성하기 위해 합성한 후, 그림편집을 해서 인터넷으로 편집부에 보냅니다. 이후, 편집부와 디자인 사무실에서 온전한 책의 형태가 갖춰지도록 디자인 작업을 하고 교정 등을 본답니다.

네이버카페
(http://cafe.naver.com/comixrpg.cafe)에
〈코믹 메이플오프라인rpg〉 팬카페가 개설되었습니다.
팬카페에 있는 〈그림자랑〉 코너에 그림을 올려주시면,
그림을 선정하여 서정은 작가님의 소감과 함께
〈코믹 메이플스토리〉 책에 소개해 드려요.

샤렌(young951031) 박서영 님
바우는 평소 왈가닥 캐릭터인데
수줍은 윙크를 보내는
귀엽고 깜찍한 바우를 잘 표현했어요.

세라(dlsddlhkd) 김인영 님
슈미의 변신 후 모습이 아주 잘
표현되었어요. 허리 부분이
조금 길어진 거 같구요^^
슈미 표정 정말 좋아요~~.

슈라삥(lickim) 김수현 님
아루루와 주카의
러브러브 모드네요~.
둘이 있는 것만으로도 행복한
아주 귀여운 커플입니다.

아루루(woosanha) 우산하 님
연필 데생의 아루루.
아주 색다르면서도 멋집니다.
명암 처리 효과도 주어
완성도가 더욱 높아졌네요.
앞으로도 좋은 그림 많이 그리세요~!

아이(jdw0801)
날개 달린 천사 바우네요~.
밤하늘과 아주 잘 어울립니다.
뒤에서 반짝이는 별들도 바우를 한층 더
예쁘게 해 주는 것 같아요.

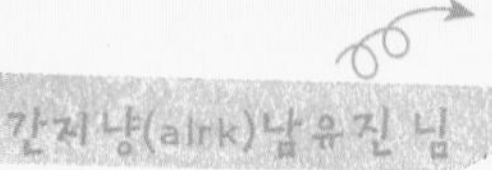

모처럼 예쁘게 꾸민
바우의 모습을 잘 재현했어요.
치마라인도 마치 실크처럼
흐르듯 잘 표현했습니다.
전체 비율도 딱 좋아요.

은빛(eunbit54) 고은빛 님
메이플 식구들이 한자리에 모였네요!
모두 개성 있고 다정해 보입니다.
색감도 좋고 얼굴 표정들도 살아있는 거 같아요.
예쁜 고양이도 눈에 띄네요~~ㅎㅎ

이시농(mylovebo) 이윤비 님

너무나 애처로운 표정의 주카네요.
미소 짓고 있지만 뭔가 슬픈 듯한 눈이 인상적입니다.
윤비 님이 올린 그림들 대부분이 색감이 참 좋더라구요.
페인터를 이용해 그리시는 건가요?
많은 발전이 있길 바랍니다. ^o^

코로로(queenka93) 김은지 님

조금은 성숙한 느낌의 바우네요.
바우가 크면 이런 느낌이지 않을까요?
활을 잡고 있는 포즈가 멋집니다.

쿠루루(dandy1198) 박동재 님

주로 몬스터 위주의 그림들을 좋아하는 동재 님, 맞죠? ^o^~
멋진 포즈와 얼굴 표정 표현이 좋아요.
색연필로 채색한 부분이 전혀 어색하지 않고 그림과 어울려
몬스터의 사나움을 한층 더 부각시켜 주고 있네요.

히아신스(hanriver) 송연수 님

그림판에서 정말 잘 그렸어요.
모자에 색색별로 명암 처리하듯 색을 넣었네요.
해맑은 모습의 슈미입니다.

dpdkeheh 김원정 님

〈코믹 메이플 17권〉 표지를 멋지게 그려 주셨네요.
도도가 나무 위를 달리는 모습이 너무 신나 보여요!
나무에 매달린 바우도 무척 귀엽습니다.
단, 색칠을 할 때에는 과감히 하세요.
그럼 더욱 멋진 그림이 나올 거예요!

요섭이(leeyoseob12) 이요섭 님

몽짜가 있는 거울과 변기 뚫어뻥을
함께 들고 있는 컨셉이 재치 있어요.
그래서인지 다소 순해 보이는 마스터 크로노스네요.
아쉬운 점이 있다면 상반신은 멋진데 반해
하반신의 묘사가 덜 된 듯해서 아쉽네요.